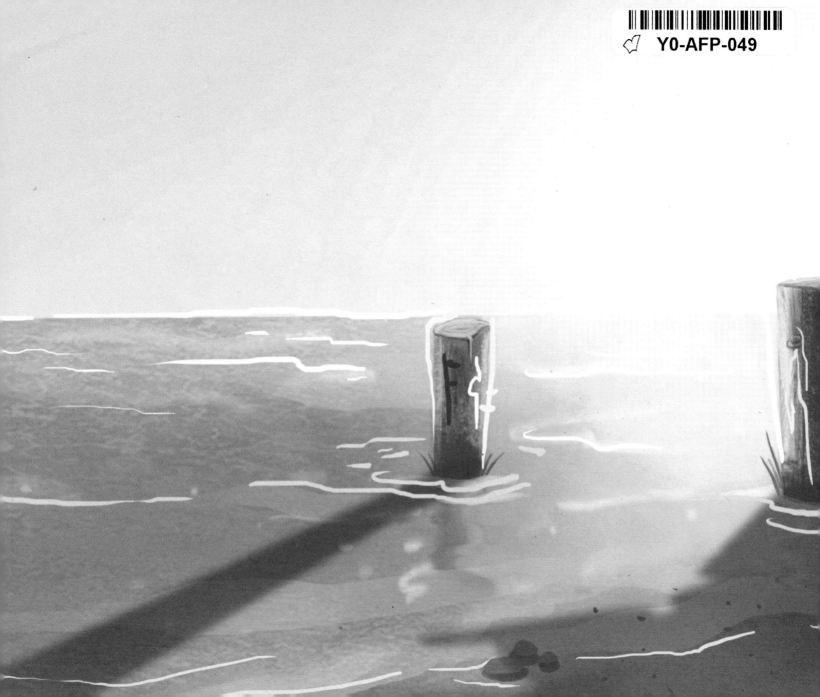

1.ª edición: septiembre de 2012

© José Trinidad Camacho Orozco, Trino
   José Ignacio Solórzano, Jis

D.R. © Ánima Estudios S.A. de C.V. & Peyote Films, 2012

Derechos reservados
© Tusquets Editores México, S.A. de C.V.
Campeche 280-301 y 302, 06100 México, D.F.
Tel. 5574-6379 Fax 5584-1335

Diseño de portada: Rafael González Trujano
Diagramación y diseño de interiores: Gonzalo García Pigeon
y José Luis Maldonado López
Coordinación de arte: Carlos Sánchez-Anaya Gutiérrez
Dirección editorial: Verónica Flores

Impresión: Editorial Impresora Apolo, S.A. de C.V.
Centeno 150-6, 09810 México. D.F.

ISBN: 978-607-421-384-3

Impreso en México

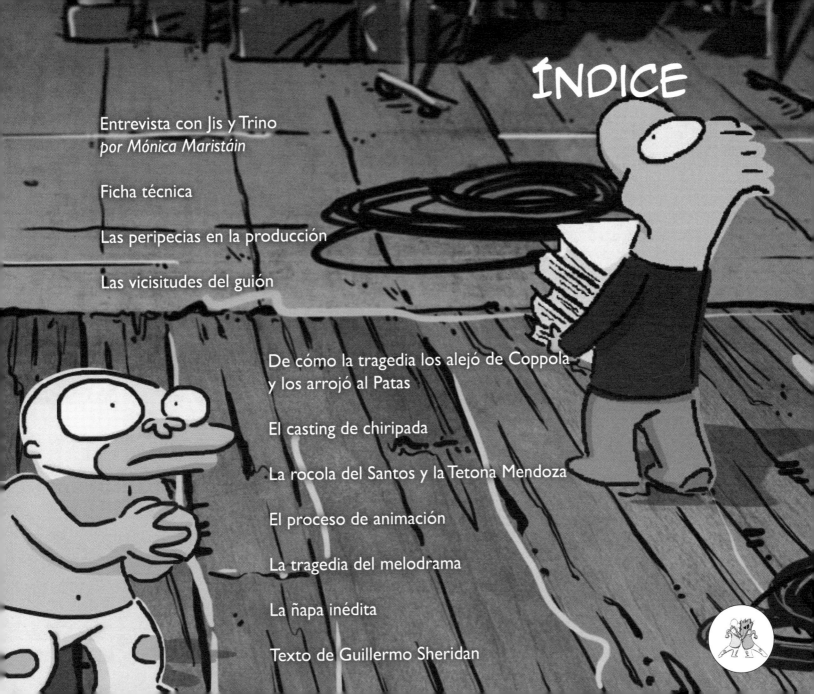

ÍNDICE

ENTREVISTA CON
Jis y TRINO.

POR MÓNICA MARISTÁIN

«—Qué onda, Santos. ¡Aprovecha orita que estamos en tu sueño!

—Ya lo arruinaste todo. ¡Nos vemos mañana en la realidad!»

A eso se han dedicado los autores Jis y Trino desde una época remota, cuando existía el diario *Unomásuno* y no había fraudes electorales sencillamente porque no podían denunciarse: a crear una realidad alterna.

Su propio Gran Hermano dentro de una isla superpoblada, con personajes que hasta podían psicoanalizarse en un diván, siempre y cuando permitieran que el «profesional y licenciado Santos» les explicara, con todas las letras claras posibles, que: «lo que pasa es que usted es un imbécil».

¿Qué hace una niña cuando sus padres no le compran una Barbie? ¿Qué hace un niño cuando no tiene el último camioncito eléctrico porque los mayores decidieron esa Navidad regalarle cosas «útiles» como calcetines y camisetas de algodón? Pues se inventa sus juguetes con lo que tiene a la mano.

Y eso hicieron los moneros más delirantes del México que fue, del que es y del que, por lo que vemos —merced al éxito, la fama y la fortuna que acompañarán a estos artistas inclasificables luego de que se estrene la primera película del Santos— será: jugar con la cotidianidad que tengan a la mano, aun cuando eso implicara expresar la realidad pura y dura, un gesto que en nuestro país —hay que admitirlo— puede resultar suicida.

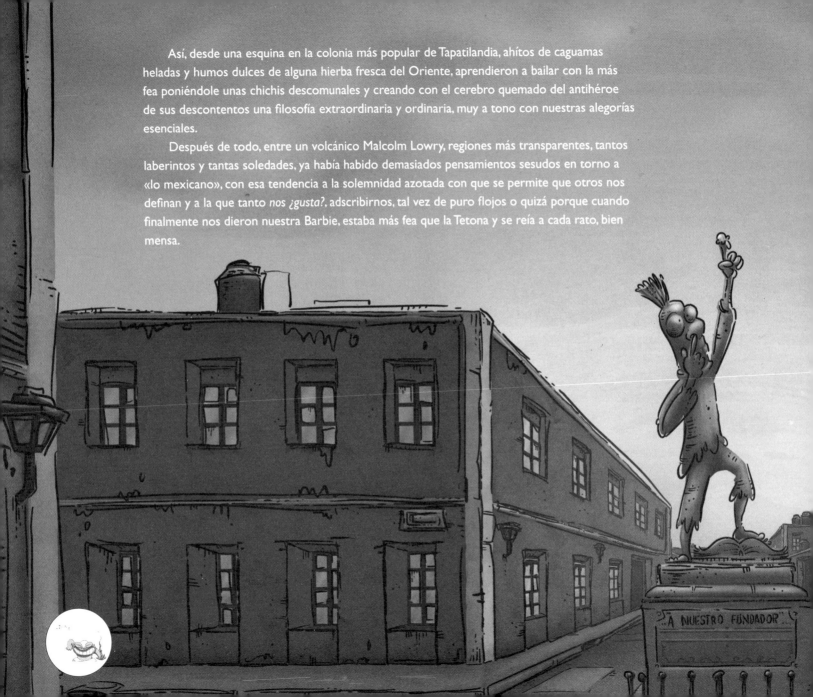

Así, desde una esquina en la colonia más popular de Tapatilandia, ahítos de caguamas heladas y humos dulces de alguna hierba fresca del Oriente, aprendieron a bailar con la más fea poniéndole unas chichis descomunales y creando con el cerebro quemado del antihéroe de sus descontentos una filosofía extraordinaria y ordinaria, muy a tono con nuestras alegorías esenciales.

Después de todo, entre un volcánico Malcolm Lowry, regiones más transparentes, tantos laberintos y tantas soledades, ya había habido demasiados pensamientos sesudos en torno a «lo mexicano», con esa tendencia a la solemnidad azotada con que se permite que otros nos definan y a la que tanto *nos ¿gusta?*, adscribirnos, tal vez de puro flojos o quizá porque cuando finalmente nos dieron nuestra Barbie, estaba más fea que la Tetona y se reía a cada rato, bien mensa.

A NUESTRO FUNDADOR

Feos pero graciosos, machistas por imbéciles, flojos por filosofales, curiosos siempre y cuando no haya que caminar mucho, gozosos en la falta de ejercicio y bien valientes a la hora de ingerir sustancias prohibidas (¿hay otras?). Los Santos, las Tetonas, los Zombis de Sahuayo aprendieron a definirnos con lo que había a la mano en una tierra donde, como bien dice el cuate Juan Villoro, «ya pasó el Apocalipsis» y seguro nos agarró dormidos.

Es lo que hay, se suele decir, y con esto nos reímos, fundamentalmente de nosotros mismos, porque somos la materia preclara de nuestro humor patriótico.

Somos nuestro Groucho Marx implacable y no nos gustan las Barbies ni los Sapos institucionales. Vamos, que si a una compañera de la escuela se le hubiera ocurrido venir con trenzas y trajes de tehuana, nos la hubiéramos acabado en un santiamén y todo eso, claro, porque cualquier parecido con la realidad es pura coincidencia.

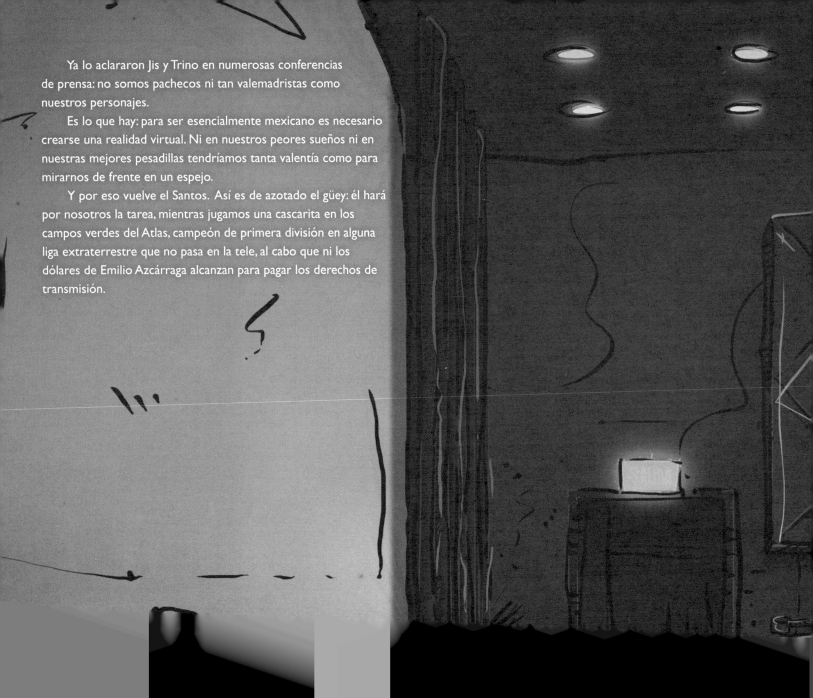

Ya lo aclararon Jis y Trino en numerosas conferencias de prensa: no somos pachecos ni tan valemadristas como nuestros personajes.

Es lo que hay: para ser esencialmente mexicano es necesario crearse una realidad virtual. Ni en nuestros peores sueños ni en nuestras mejores pesadillas tendríamos tanta valentía como para mirarnos de frente en un espejo.

Y por eso vuelve el Santos. Así es de azotado el güey: él hará por nosotros la tarea, mientras jugamos una cascarita en los campos verdes del Atlas, campeón de primera división en alguna liga extraterrestre que no pasa en la tele, al cabo que ni los dólares de Emilio Azcárraga alcanzan para pagar los derechos de transmisión.

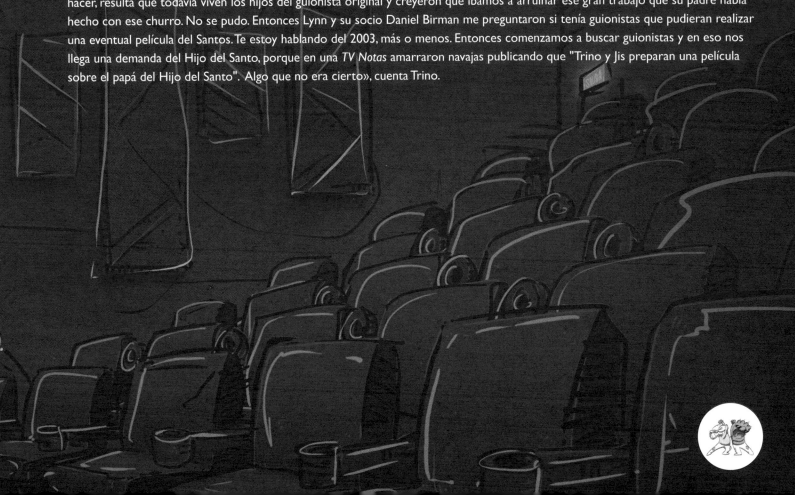

Los fantasmas ilustres

«La verdad es que todavía siento que está raro. ¿De verdad se hará una película del Santos?», dice Jis, acusando a la amistad de Trino Camacho con la productora Lynn Fainchtein el hecho de que las aventuras de su antihéroe estén a punto de abordar el territorio de la pantalla grande.

«Conocí a Lynn en el estreno de la película *Todo el poder*. Luego de la función platicamos un buen rato en su coche. Tiene un Beetle color verde mayate. Comenzamos a hablar de la posibilidad de filmar una película y decidimos hacer el doblaje de *El vampiro*, una con Germán Robles. Margarita (Carmona, la mujer de Trino) me ayudó a escribir el guión y cuando ya la íbamos a hacer, resulta que todavía viven los hijos del guionista original y creyeron que íbamos a arruinar ese gran trabajo que su padre había hecho con ese churro. No se pudo. Entonces Lynn y su socio Daniel Birman me preguntaron si tenía guionistas que pudieran realizar una eventual película del Santos. Te estoy hablando del 2003, más o menos. Entonces comenzamos a buscar guionistas y en eso nos llega una demanda del Hijo del Santo, porque en una *TV Notas* amarraron navajas publicando que "Trino y Jis preparan una película sobre el papá del Hijo del Santo". Algo que no era cierto», cuenta Trino.

¿Y qué pasó con los guionistas?

Trino: Tuvimos muchas vicisitudes. Primero convocamos a Gerardo Lammers pero no funcionó. Luego vinieron Totó y Omar, guionistas del Güiri Güiri, y tampoco cuajó la cosa. Luis Usabiaga y otro cuyo nombre no puedo recordar y que le decían «el Pato».

JIS: Ha sido un camino tortuoso. Honestamente a mí ya se me perdieron muchísimos detalles, porque ha sido como una especie de extraño sueño por el que van atravesando posibles guionistas y directores, se suspende el proyecto por un rato, cada cual vuelve a sus chambas… incluso pensé por un momento que la película ya no se iba a armar.

¿Y quién quedó al final como guionista?

Trino: Augusto Mendoza, el guionista de *Abel*, la película de Diego Luna. Y antes del «Patas» (Alejandro) Lozano, que quedó finalmente como director, estaba Toño Urrutia, que es nuestro cuate.

Jis: Que no funcionara un guionista o un director podía deberse a muchas causas, desde aspectos creativos, como la sintonía con el humor o la manera de ver las cosas, hasta algo de puro temperamento y química, como que no se llevaran bien con Lynn, por ejemplo. Había por ahí pleitos, incomprensiones, portazos y ¡Chin, mano!, que ya se pelearon…

Uno de los mayores desafíos es pasar el humor de la historieta al cine…

Trino: Bueno, nosotros ya la vimos y definitivamente es una película que hará reír porque tiene muchos *gags*. No faltará el que diga a lo mejor que está muy chafa y que no le hizo reír nada, pero…

Jis: Quizás en algunas cosas sientan que no se trata estrictamente del humor de las tiras del Santos, porque nosotros dimos un voto de confianza a un guionista que toma nuestros personajes y la atmósfera pacheca del Santos y los transforma de alguna manera con su rollo. Hay que entender y saborear esta cosa: se trata de una adaptación.

¿Por qué no quisieron hacer ustedes el guión?

Trino: Es una mezcla letal de flojera e ineptitud (risas). La verdad es que cuando ves un guión terminado, te das cuenta de que hay que tener una gran capacidad para ese trabajo.

Jis: Se trata de un talento y del manejo de ciertos tecnicismos específicos que, honestamente, no tenemos. Delegamos casi todo. Por un momento, éramos como una especie de fantasmas ilustres que miraban como detrás de un vidrio, deseándole suerte a todos los que estaban haciendo la película.

17

El personaje del Santos sigue teniendo una vigencia extraordinaria…

Trino: Creo que estamos hablando de un asunto generacional. En realidad, los chavos que van a ir a ver la película no tienen una referencia real de los personajes, salvo por la que les haya dado un hermano o un primo mayores. Será una onda padre que el cine los acerque al Santos y que luego se den cuenta de que hay libros…

Jis: Quiero pensar que el personaje tuvo algo que por su estilo, su pachequez, su identificación con la cultura popular mexicana, pudo pervivir hasta nuestros días. Porque de eso se trata. Cuando comencé a hacer la tira con Trino le dejé bien clara una cosa: ¡Quiero que hagamos algo que sea eterno! (Risas)

Trino: En las tiras nunca hablamos de política, sino de la pareja, de sexo, de drogas, de diversión… Son dudas existenciales que traspasan la barrera del tiempo. Queremos enarbolar la bandera del desmadre y ojalá la película transmita ese espíritu libertino que nos caracteriza.

Ciento por ciento mexicano

Pocas cosas como las tiras del Santos o las canciones de Botellita de Jerez para describir al México contemporáneo. A la luz del inminente estreno de la primera película en torno al Santos y a la Tetona Mendoza, ¿habrá claves que podrían decodificarse en otros territorios? No es una gran preocupación para Jis y Trino acceder a la internacionalización mediante los mágicos kilometrajes que suelen recorrer las películas cuando son afortunadas, se rueden donde se rueden.

Sin embargo, su mirada está puesta en la comunidad latina de los Estados Unidos. Tal como pudo escucharse en un enorme salón colmado de la reciente Feria del Libro en Español de Los Ángeles, las risas estruendosas de quienes asistieron a la presentación de un libro que Trino escribió con el poeta mexicano Luigi Amara y en la que también estuvieron los «botellos» Paco Barrios, Sergio Arau y Armando Vega-Gil, el filme, del que en esa ocasión pudo verse el tráiler, funcionará allí donde la frontera norte se funde y se confunde.

Por eso está el actor chicano Cheech Marin integrando un elenco luminoso encabezado por Daniel Giménez Cacho, quien personifica al Santos, José María Yazpik, Andrés Bustamante, Julieta Venegas, Joaquín Cosío, los hermanos Bichir, Irene Azuela, Jesús Ochoa, Cecilia Suárez, Héctor Jiménez, Regina Orozco, Dolores Heredia, Rocío Verdejo y hasta el cineasta Guillermo del Toro también pusieron las voces y el corazón en una producción de Lynn Fainchtein, Fernando de Fuentes, José Carlos García de Letona y Paco Arriagada.

Se trata de una película que, queriéndolo o no (o tal vez, muy a lo Chavo del 8, *sin querer queriendo*), recupera la línea cultural establecida por ese humor de la calle que suele ser siempre hilarante y extremadamente crudo. Un humor para el que hay que tener mucha valentía e ingenio y, a la vez, una gran indiferencia frente a las obsesiones políticas que suelen esgrimir casi todos los humoristas mexicanos.

Jis: Definitivamente, nosotros rechazamos o siempre tratamos de ponernos al margen de ese humor superpolitizado que es tan característico en nuestro país. Si hiciéramos humor político, perderíamos mucha libertad de acción y eso no nos interesa. Nuestra política es anárquica, irresponsable y veleidosa.

¿Cuesta hacer humor en la cultura mexicana? Todo resulta tan trágico y melodramático a veces, a pesar de que la gente en la calle es muy ingeniosa…

Trino: Es que se trata de una imposición cultural. Todo tiene que ser muy trágico en las películas de Pedro Infante, por ejemplo. Al final, siempre ganan los otros, pero el pueblo es bueno, se queda con la esperanza de que alguna vez las cosas cambiarán. Llega la señora rica a pedir asilo entre los pobres porque se siente sola con sus millones y Pedro Infante le dice: «Véngase, aquí hay corazón pa'usté», ay, qué flojera…

¿El Santos conserva ese carácter feminista y al final la que gana siempre es la Tetona?
No lo podemos decir. El Santos al final puede ser muy misógino y la Tetona muy feminista, pero ambos son como nosotros, políticamente incorrectos en todo. Nos pueden acusar de machistas o de que las mujeres son las que nos dominan, esto último es totalmente cierto, y no pasa nada.

Pero la Tetona siempre deja en ridículo al Santos...

Jis: Nosotros no lo queríamos poner así, pero son nuestras esposas las que nos obligan...

Trino: Efectivamente, somos abusados sexualmente por ellas.

Ciudad de México, 2012

FICHA TÉCNICA

Dirección	Alejandro Lozano
Productores	Lynn Fainchtein
	Fernando de Fuentes
	José Carlos García de Letona
	Paco Arriagada Cuadriello

Basada en los personajes de Jis y Trino

Director de animación	Andrés Couturier
Dirección de arte	Rafael González Trujano
Guión	Augusto Mendoza
Productor ejecutivo	Alex García
Productora ejecutiva	Mariana Suárez Molnar
Productor de línea	Jorge A. González
Música original	Camilo Froideval y Tito Fuentes
Supervisión musical	Lynn Fainchtein
Edición	Camilo Abadía

Reparto

Daniel Giménez Cacho	Santos
Jose María Yazpik	Peyote
Regina Orozco	Tetona Mendoza
Héctor Jiménez	Cabo
Joaquín Cosío	Jefe
Cheech Marin	Charro
Jesús Ochoa	Diablo
Demián Bichir	Cerdo 1
Bruno Bichir	Cerdo 2
Odiseo Bichir	Cerdo 3
Cecilia Suárez	Kikis
Irene Azuela	Rata Maruca / Sirena
Julieta Venegas	Poquianchis 1
Dolores Heredia	Poquianchis 2
Rocío Verdejo	Poquianchis 3
Andrés Bustamante	Varios
Guillermo del Toro	Gamborimbo

Compañía productora	Átomo Films / Peyote Films
Distribución	Videocine
Género	Comedia
Año de producción	2012
País	México
Estreno en cines	Noviembre 2012
Duración	96 minutos
Formato	35 mm / Digital

LAS PERIPECIAS EN LA PRODUCCIÓN

Los productores Paco Arriagada
y Lynn Fainchtein.

Después de muchos forcejeos y rabietas,
Trino sacó la calculadora y pudimos llegar
a un acuerdo satisfactorio para todas las partes.
El productor se quedaría con el 99% de las
ganancias, cosa que Trino todavía no terminaba
de entender y reía como bembo.

Organigrama de la corporación y las dinámicas a la hora
de los pagos: ventanillas, flujo de efectivo, pagos de
regalías, amparos…

Se hicieron trescientas sesenta juntas, en donde
prevaleció siempre un clima de desenfado y glamour.
Había café, caviar, vodka y cueritos.

POSIBLES LOGOS PARA LA PRODUCTORA

Peyote

FILMS

Gambo rimbo

FILMS

TETONA
FILMS

Picarle los ojos a Lynn fue una forma de relajamiento
que funcionó en todas las ocasiones, como lo muestra
en la imagen nuestro chico Almodóvar.

Bocetos para un próximo proyecto,
una película con Scorsese. Es muy importante que no
se enteren los de Ánima Estudios. Por favor no les digan.

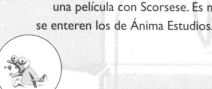

Comenzando con Lynn, la Gran Fuerza detrás de todo esto, mujer brillante y gran camarada, en permanente estado de alerta y espíritu crítico y creativo. Wow. Y así con los demás: Paco Arriagada, Alejandro «el Patas» Lozano, los dibujantes y creativos de Ánima Estudios, el máster guionista Augusto Mendoza... ¡Pura raza pocamadre y talentosísima!

LAS VICISITUDES DEL GUIÓN

Tuvimos alrededor de nueve guionistas antes de Augusto. Todos eran buenos, pero no nos gustaron del todo las ideas. Optamos por Augusto porque es quien más le llegó a la esencia de lo que queríamos, es un experto en el Santos y es muy cagado, súper serio, pero en el fondo es un *weirdo* maravilloso.

MMH.. LA PELÍCULA ME HIZO DARME CUENTA QUE NO TENGO NADA QUE VER CON EL MUNDO DEL CINE.. DE HECHO NUESTRA PARTICIPACIÓN FUE MUY LIMITADA; NOS MANTUVIMOS MUY AL MARGEN... SI TE FIJAS NI EL GUIÓN ES NUESTRO.. Y NO ESTÁ DIRIGIDA POR NOSOTROS ... LA ANIMACIÓN LA HIZO UN ESTUDIO..

¡IGNÓRENLO POR FAVOR: ESO YA NO ES MODESTIA SINO DELIRIO PATÉTICO!

¿USTED ¿PODRÍA CONTARNOS ALGO SABROSO, SEÑORA?

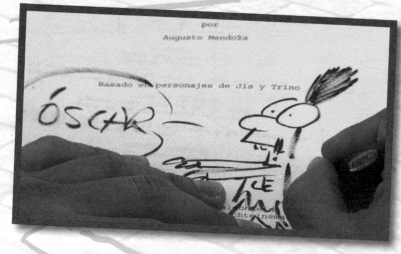

por
Augusto Mendoza

Basado en personajes de Jis y Trino

ÓSCAR

Óscar es el tío de Margaret Herrick, actriz de los treinta, cuyo parecido con la estatuilla hizo que esta fuera conocida con tal apelativo desde entonces. El zombi es un claro contendiente a los famosos premios y sería una verdadera lástima perder, porque desde que inició el proyecto ha sido nuestro único objetivo. Ahora sí, Demián Bichir, ve preparando tu discurso.

... AL ... ...

El mesero se lleva las bebidas a la mesa de ...

... se sienta mal... Quiero irme a mi casa.

(ERIK) GUTIERREZ 2
Pinches cubas les ponen repoquito
de alcohol, que no mamen. ¡Servicio!
(Llamando al mesero) Garçon,
mua, mua.

El Santos observa con cuidado al Peyote. Empieza ...
... El Peyote se bebe su Martini de un trago. Te...

SANTOS
¡Ahora! A hacerle pasar un coraje.

Santos se acerca rápidamente a la mesa del Peyote y ...

SANTOS (CONT'D)
¡Peyote, embaracé a tu carnala y le
pegué ladillas a tu jefa!

PEYOTE (TRANQUILO)
Miente, buen hombre... Mi carnala
es la que tiene ladillas y es mi
jefa la que está embarazada de sabe
quién. (a las poquianchis) Chicas,
convénzanselo...

... se acercan a ...

... ...
... conocido.

41

DE CÓMO LA TRAGEDIA LOS ALEJÓ DE COPPOLA Y LOS ARROJÓ AL PATAS

Al Patas le dio un aire y quedó en esa posición por varias horas.
No es bueno combinar mandrágora filipina con chela.
Aun así, pudo dirigir con los ojos.

EL CASTING DE CHIRIPADA

EL SANTOS

Nació, como dice Meche, en una ribera del Arauca vibrador. Fue amigo de la Espuma, de la Garza y de las Rosas (unas hermanas bien jaladoras).

Su vida transcurrió sin problemas hasta los doce años cuando se perdió en un templo y acabó de cerillito en un Gigante.

Se le conoce como Sanx, Panzón, Santo-Santoro, Chiquito-Bebé, Labregón, Ombligón y ¡Dandy! (este apodo sólo se lo dice el Cabo.)

Estuvo casado con la Tetona Mendoza, divorciado y vuelto a «rejuntar»… para luego divorciarse otra vez. También se le conocen amoríos con la Kikis Corcuera, con la Sirena Lupe, con una Poquianchi del espacio y con el Cabo.

Con claveles de pasión, con claveles de pasión… ingresó a la Arena Coliseo en la década de los ochenta. Ahí conoció todos los trucos del pancracio nacional, las llaves más efectivas: la patada voladora, la descorchadora, la hurracarrana, la pellizquito de pulguita, la estilson, la motuleña y la santinha (inventada por el Santos).

Actualmente, el Santos vive en la ribera de Chapala y acude todos los martes al restaurante La Matera 10 a comer con sus mejores cuates.

Recuerdo una noche en un restaurante de Guadalajara donde estaba Daniel Giménez Cacho. Se enteró de que estábamos haciendo la película del Santos y se nos acercó a Jis y a mí diciendo: «Ándenle, quiero un papel en la peli, de qué hay, aunque sea de Zombi de Sahuayo, de lo que tengan». Chingó tanto que al final le dijimos: «Qué tal que tú seas el Santos», y pues se ganó su personaje por chingarnos toda la noche a Jis y a mí. Estamos muy contentos con el resultado, pues el Santos definitivamente es Daniel.

¡Ajúa! Daniel Giménez Cacho, a quien le dimos la indicación de no intentar interpretar a un Santos ideal, sino que se representara a sí mismo, «queremos a Daniel Giménez Cacho agarrando su desmadre», y uta, ¡qué divertidísimo le salió al méndigo!

Ya es el colmo de la maravilla ver a estos admirados actores y actrices chambeando para entrar en carácter y darle vida a los monos que hicimos sin mayores pretensiones, en aquellas tardes de ocio y pachequez hace tantos años...

José María Yazpik haciéndola del mamón del Peyote, entre mirrey y licenciado malvibroso; Héctor Jiménez como el Cabo y tantas otras luminarias prestándose a hacer apariciones fulgurantes y guarras: los Bichir, Chucho Ochoa, Irene Azuela, Andrés Bustamante, Julieta Venegas... ¡Memo del Toro!

LA TETONA MENDOZA

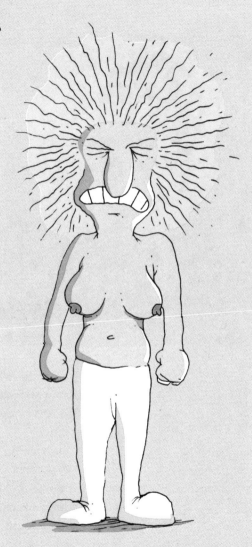

¿Qué le pasó a aquella muchacha bonita?

¿Dónde quedó la Nena Mendoza?

La abdujeron unos coyotes de Tepito a temprana edad y algo se perdió. La dulce doncella quedó con la cola floreada y amarga, y los bucles de oro quedaron como escobeta dura.

Y las chichis se hincharon y se convirtieron en un símbolo de sexualidad sucia y salvaje.

Antes que luchadora fue puta, pero el Tetona's Palace fue fundado muchos años después, gracias a sus éxitos en el cuadrilátero y a sus apariciones en la prensa.

Aunque nunca le ha dado demasiada importancia, su relación dentro y fuera de la lucha con el Santos ha dado para muchas telenovelas, películas porno, comerciales y estudios sociológicos.

La Tetona es la neta.

En el caso de Regina Orozco, nunca lo pensamos dos veces. Ella siempre fue la Tetona, desde que la vi en El Hábito en Coyoacán, pensé, ella es la Tetona Mendoza, no hay más, nació para ser ella. Fantástica.

Regina ve de pronto el descomunal miembro de Jis, entra en personaje y le ofrece sus encantos.

Regina Orozco, como *force of nature* que le inyectó poca madre esa vibra poderosa machorra que necesitábamos para la Tetona.

Chema Yazpik es un «papaloy» en espíritu y un actor que admiramos mucho. El Peyote Asesino le queda que ni pintado. Me gustaría que en la segunda parte de la película tenga más participación porque es un personajazo.

54

PEYOTE ASESINO

Malandrín, malandro, malandronón…
Dicen que su verga es enorme y que sabe a
hierba, a matojo, a ojo de venado.
Quién sabe de dónde salió, de dónde brotó, del
culo de qué chamán mal logrado… ¡Uf! Pero un
día llegó a la ciudad y comenzó a hacer de las
suyas: juegos de azar, pandillerismo,
narcomenudeo…
Experto en comprar peleas y en revenderlas a
sobreprecio, gracias a él la lucha libre se cotiza en
la bolsa.
Aunque los huicholes lo adoran, él prefiere a los
Zombis de Sahuayo, a los que usa para su propio
beneficio.
En otra vida fue periquito australiano.
Le enseñó a la Tetona a luchar y a coger bien,
aunque el Santos lo niegue.

CABO VALDIVIA

Nació en Veracruz un día de carnaval.

Desde chiquito fue edil brigadier en su salón y era el típico niño que usaban para «echar aguas».

En su casa, su papá lo alucinaba, pues siempre iba con el chisme y lo acusaba con su mamá de que se pasteleaba a la muchacha de la casa o de que llegaba tarde y borracho.

Ingresó a la Academia de Policía y su cometido principal era vigilar los desmanes fuera de la Arena Coliseo. Ahí fue en realidad donde conoció al Santos. Amor a primera vista. Desde entonces, el Cabo se encarga de informarle al Santos de todo lo que acontece en el mundo. Inseparable amigo, pareja fiel del Sanx.

Vive en Torreón. Ahí adiestra a policías novatos para vigilancia y protección de otros luchadores ídolos del pancracio nacional.

Héctor Jiménez hace un magnífico Cabo, además de que a mi mujer y a Inés, mi hija, les encantó en *Nacho Libre* por su actuación con Jack Black. Me encanta ese gritito que tiene de poca madre. El Cabo sin Héctor no es el Cabo.

Trino

Chucho Ochoa es el Diablo Zepeda, en la vida real es el Diablo Zepeda, uno de los personajes más importantes en la tira, y aunque en la peli sale poco, de seguro en la segunda parte tendrá un estelar.

No sabemos cómo se coló este indigente, pero llegó hasta el *bulletin-board* y alcanzó a poner «puto el que lo lea».

58

DIABLO ZEPEDA

¡Qué luchador!

Aunque el Santos es más famoso, el Diablo ha sido el mejor luchador de todos, el que más trofeos ha ganado (uno por cada grano de su nariz), el que mejor técnica tiene y el que se ha cogido a más réferis.

Le encantan las batallas campales y los tacos de lengua.

Se va de peda todos los martes con la banda y al quinto tequila se acuerda de la Tetona y de su puta madre y se pone a llorar.

Estuvo casado con la Tetona Mendoza pero no le pudo hacer un hijo.

En el fondo es el más sentimental de todos, pero sólo deja que lo vea llorar Kid Pitayas, encargado de limpiarle la nariz.

CERDOS GUTIÉRREZ

Tres cerdos nacidos al mismo tiempo y a la misma hora que el terremoto del 85. De los tres no se hace uno.

Los Cerdos Gutiérrez actualmente viven en La Palma, tienen celulares desde donde cometen secuestros exprés y piden pizza a Domino's al domicilio de gente inocente…

Por eso, si le llega a usted una pizza a su casa sin pedirla, tenga la seguridad de que fueron ellos, los finísimos Cerdos Gutiérrez.

Desde el inicio de los tiempos, los Cerdos Gutiérrez son prófugos… pero del legrado.

Sus nombres de pila varían según su conveniencia, a veces son Hugo, Paco y Luis; otras veces son Moe, Lerry y Curly… aunque ellos se identifican más con John, Paul y George (se cree que fueron cuatro al nacer, pero uno de ellos sí se dedicó a la porcicultura y puso un rancho donde capacita a diputados del PRI).

Guillermo del Toro accedió a hacer el Gamborimbo Ponx antes que nada porque es nuestro amigo y lo conocemos desde chavito. Lo hizo en una mañana casi sin repeticiones. Yo recuerdo haberlo visto actuar en las obras del Instituto de Ciencias y creo que es mejor actor que director, así que imagínense qué tan chingón es. Además de que le encantan las groserías y le dimos toda la libertad para que se explayara con el Gamborimbo.

Andrés Bustamante no sólo es mi mejor amigo, sino el mejor comediante que ha tenido este país. A él le dimos muchos papeles importantes y seguirá haciendo más en las secuelas del Santos. Espero que en la segunda parte él sea la voz oficial de Godzilla.

Trino

Durante la grabación con Cheech Marin en Los Ángeles nos dimos cuenta de que él no habla ni madres de español, pero hizo al Charro Negro maravilloso.

La grabación de voces se realiza con los actores, quienes visualizan cada situación junto con el director para adoptar el papel de los personajes y poder grabar los diálogos. Estas grabaciones servirán de guía para los animadores: las pausas, las inflexiones y el ritmo de cada actor serán lo que determine cómo actuarán los personajes al ser bordeados y animados.

Trino hizo la voz del Santos, Jis la del Peyote. Pero por grillas sucias y envidias por parte de la ANDA, fueron hechos a un lado y el papel se lo quedaron unos actorcitos de carpa.

Lynn intenta convencer a Trino de aparecer desnudo en una de las escenas. Trino ríe nerviosamente. Jis, viejo chamán, asiente comprensivo. Al terminar la junta todos se fueron a un baño de vapor y se filmaron las colas.

La señora Elena Kournikova nos trató con amabilidad aunque en realidad nunca supo ni quiénes éramos ni de qué película se trataba; aún así, con un Pascual Boing y unos Pon-Pons la convencimos de decir su parlamento en el cine Teresa.

LA ROCOLA DEL SANTOS Y LA TETONA MENDOZA

Trino y Jis se acostaban en el suelo, entraban en trance y hablaban en lenguas tarareando melodías inéditas. Los músicos se ponían alrededor y transcribían las visiones de estos genios. Si faltaba un estribillo se le hablaba a alguna leyenda del rock nacional y se le pagaba por rellenar el vacío. No fueron utilizadas sustancias ilegales o estupefacientes durante las grabaciones. En los descansos no nos hicimos responsables. (Hubo mucho descanso.)

El plan original era invitar a Queen, pero nos enteramos con dolor del fallecimiento de su voz principal así que, pues…
¡Venga Moderatto, adelante!

EL PROCESO DE ANIMACIÓN

Ha sido muy emocionante. Por un lado, yo creo que quizá Trino y un servidor nos quedamos un poco pasmados al constatar lo ajeno del mundo del cine a nuestros procederes cotidianos, a nuestro oficio; nos quedamos en muchos sentidos «atrás de la barrera», viendo cómo se desenvolvía el proceso. Algunas personas cercanas me han cuestionado si no «delegamos demasiado», que debimos habernos metido con mucho más detalle a la fabricación del guión, a la historia y los diálogos… Puede que tengan algo de razón, pero creo que afortunadamente dimos con gente muy capaz que reinterpretó a los personajes de manera muy chingona. Somos como los novelistas que ven cómo su «novela» es llevada a la pantalla grande, ¡ejem, cof, cof!

Ha sido una experiencia verdaderamente extraña, chingona, agotadora, frustrante, chistosa, fascinante. Y es que ha durado mucho, quizá demasiado... Años y años, ya no sé exactamente cuántos, atravesando por distintas etapas, momentos, gente, guiones, animadores, etcétera. ¡Qué cosa!

El rollo mareador de Andrés Couturier, director de animación

Ánima lleva diez años trabajando bajo un sistema de animación en Flash, que consiste primordialmente en dibujar piezas por separado de un personaje, ya sea un ojo, la nariz, la cabeza o el torso, y moverlas o alternarlas como si se tratara de una marioneta de papel. El método es muy eficiente y es posible lograr diferentes grados de complejidad con él.

Cuando se hicieron las primeras pruebas, se cometió el error de rediseñar los personajes de acuerdo a los estándares de animación, es decir, con una lógica volumétrica y estructural: cinco dedos en cada mano (o cuatro a la Mickey Mouse), que el tamaño de su cráneo fuera el mismo en relación con sus facciones… Todo para que el personaje pudiera existir en un espacio tridimensional. El resultado fue una especie de Élmer Gruñón en mallas y con máscara. Cuando Jis y Trino vieron nuestra prueba, sintieron que el personaje había perdido su esencia. Justo esa noche me quedé pensando en qué consistía esa «esencia». El Santos era transgresor no sólo en su temática, sino también en su estética. Esa era la actitud que debíamos tomar con respecto a la animación.

82

Para empezar, el Santos de la tira (al ser dibujado por dos personas) nunca era el mismo de un cuadro a otro; incluso al ser trazados por una sola mano, los personajes se deformaban y cambiaban según el tipo de estupefaciente que el artista hubiera consumido en cada ocasión.

En segundo lugar, nunca importó demasiado en las tiras si alguna pose era imposible en nuestro mundo físico espacial. Si uno quisiera dibujar el esqueleto del Santos listo para saltar sobre Godzilla, notaría que el brazo más lejano a nosotros tiene origen en su frente, que no tiene cuello, mandíbula o labio superior y que el ojo más lejano a nosotros se le ha salido de la cara. El problema era que si uno intentaba corregir estos aspectos del dibujo, la pose y la expresión del personaje perdían toda su fuerza y dinamismo. La única consistencia entre un monito del Santos y otro siempre fue su enorme expresividad. Se trata de un dibujo mucho más gestual que preciso y querer darle estructura era como tratar de acomodar los músculos en una pintura de Bacon.

Entonces hice una prueba. Mandé al diablo toda planeación y animé un cuadro tras otro sin saber hasta dónde iba a llegar. Me olvidé de usar piezas y buscarle lógica, sólo me importó que cada dibujo se sintiera espontáneo y fluyera con el resto. El resultado fue de tres segundos que pudieron emular la impresión que siempre logran los trazos de Jis y Trino: había líneas temblorosas que no se cerraban; a veces el Santos tenía cuatro dedos, otras tres y otras ninguno; el tamaño de su cabeza aumentaba si abría mucho los ojos; y terminaba con cuatro o cuarenta dientes en la boca. En fin, todo lo que resultara más conveniente con tal de hacerlo expresivo. Me dio mucho gusto cuando los dos reaccionaron positivamente ante esta segunda prueba.

El siguiente paso era que todos los animadores se mentalizaran y fueran en ese mismo sentido. Ensayamos durante tres meses sin tratar de definir cómo dibujar al Santos, sino enfocándonos en la manera de mantener la esencia del personaje.

Alejandro quería que tanto el lenguaje como la actuación en la película fueran lo más académicos posibles. No quería ver reacciones extremas ni que ningún personaje se volviera un acordeón después de haber sido aplastado. El reto era conseguir una actuación naturalista a partir de personajes de farsa.

Cada animador hizo un Santos diferente, el personaje es inconsistente a lo largo de la película y, por primera vez, eso era justo lo que queríamos.

84

El rollo mareador de Rafael Antonio González Trujano, director de arte

La dirección de arte fue muy peculiar, pues tiene como antecedente cada tira cómica publicada por Jis y Trino desde finales de los ochenta. A partir de los trazos originales nos dedicamos al diseño de personajes, diseño de *props*[1], *layouts*[2], fondos a color y animación. La idea era que en todo momento se mantuviera la fidelidad a las tiras y al arte de los autores, pero con calidad para una película de animación. Por esto último, fueron incluidos tanto elementos originales de cada tira, como interpretaciones y adecuaciones nuestras.

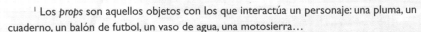

[1] Los *props* son aquellos objetos con los que interactúa un personaje: una pluma, un cuaderno, un balón de futbol, un vaso de agua, una motosierra…

[2] Los *layouts* son dibujos de fondo que funcionan como escenario para el movimiento de los personajes y como guía para el emplazamiento de la cámara.

Conceptualización de locaciones

Durante la preproducción tuvimos varias sesiones de *pitch*, que consistían en reuniones con el productor, el director de animación, el director de arte, el asistente de dirección y uno o dos artistas de *storyboard*. En esas juntas discutíamos secuencias y escenas basándonos en el guión y haciendo notas, comentarios y recomendaciones. A la dirección de arte le correspondió tomar notas sobre las locaciones, es decir, aquellos lugares en donde ocurrían las escenas: un camerino, un baño, el departamento del Santos, las calles de la ciudad… Durante la lectura del guión surgieron las primeras ideas, pudimos analizar varias referencias, fotografías y ejemplos de otras películas para definir cómo queríamos que se viera cada locación.

Lo siguiente fue elaborar conceptos visuales basándonos en las sesiones de *pitch*. En ese momento definimos la paleta de color, la iluminación e incluso tomamos una decisión muy importante para el diseño del lugar: elegimos una toma amplia y abierta para poder abarcar la mayor cantidad de elementos y hacerlos funcionar como un fondo maestro.

Una vez aprobados los conceptos, continuamos con la elaboración de *layouts* y *props* a línea. Los dibujos se entregaron, junto con el diseño final de personajes, al departamento de animación.

La siguiente etapa para las locaciones consistió en realizar los fondos finales a color, en los cuales aplicamos texturas, ambientes, iluminación y efectos. Estos fondos se realizan en capas superpuestas por planos para lograr efectos de movimiento de cámara y profundidad de campo. Ya listos se entregaron al departamento de composición digital, donde se integraron con la animación a color y otros efectos para tener lista una escena final y enviarla a edición.

Paletas de color e iluminación

Para definir el color de la película, tomamos como referencia tonos que ya existían en muchos de los personajes principales del Santos y de algunas otras tiras de Trino. Al tomarlos como punto de partida, pudimos definir la paleta de color que se aplicaría a los personajes, *props*, vehículos y fondos, generando así cierta armonía. Para cada objeto y personaje elegimos una paleta que fue entregada, junto con cada animación en línea, al departamento de color.

Utilizamos como guía la iluminación que empleamos en las locaciones. Así integramos a los personajes con las proyecciones de sombras y rebotes de luz.

Mi participación en la película

Aparezco como un cliente del Tetona's Palace, acompañado por un par de mujeres y paseando de un lado a otro entre las escenas con un vaso y un buñuelo. Hay una historia muy graciosa detrás de este diseño y la idea surgió desde el *storyboard* de una de las secuencias que ocurren en el Tetona's Palace: dibujaron a varios del equipo de producción y la idea original era que yo llevara puesta una playera con una «X» (por gustarme mucho cierta película de superhéroes). El dibujo del *storyboard* no era muy claro y en lugar de una «X» impresa en la playera parecía que llevaba un buñuelo en la mano. Por eso, en lugar de ser fan de los héroes de historieta, mi personaje acabó siendo fan de los buñuelos.

Otras peripecias en la producción de *El Santos vs. la Tetona Mendoza*

Guión

Contiene la descripción escrita de las escenas, personajes, acciones, diálogos y lugares que harán posible la realización de la película. En el caso del Santos, tomó más de diez años llegar a un guión que gustara a Jis y a Trino. Augusto Mendoza, quien escribió el definitivo, no sólo se entrevistó con los autores sino que se apoyó en todo momento en las tiras originales para lograr un guión fiel a ellas en forma y contenido.

Shooting

Se trata de la planeación de encuadres cinematográficos en los que se define la posición de la cámara y la distribución de los personajes en escena, así como los desplazamientos que harán por cada espacio. Es cuando el tono y las atmósferas de la película empiezan a gestarse y el momento en el que el director decide cómo y dónde se contará la historia. Por ejemplo, para esta película el Patas decidió que la disposición de las cámaras y las transiciones se debían apegar lo más posible al tratamiento académico del cine de acción viva; a pesar de tener la posibilidad de hacer movimientos de cámara propios de la animación, fue muy explícito respecto de que sólo se hicieran tomas que fueran posibles en el mundo real.

90

Conceptos - diseño de personajes - diseño de locaciones

Es a partir del guión y del *shooting* que obtenemos la información necesaria para realizar las locaciones en las que se moverán los personajes. Y no se trata sólo de definir los espacios, sino de especificar las condiciones de iluminación, ambientes, colores y acabados. Es importante que cada locación y personaje refuercen la historia y mantengan un mismo estilo.

La mayor parte del tiempo las tiras del Santos transcurren en «limbos blancos», es decir, con muy pocos elementos que sugieran el espacio en el que se encuentran. Nuestro reto entonces fue lograr que el estilo fuera consistente con los personajes aun cuando no contábamos con referencias de las tiras originales.

Todos los escenarios de la película reciben primero un tratamiento formal, en el que se incluyen elementos que el director de arte, Rafael González, rescató de cada tira: una cama, una estufa, un auto chocado... Después, optamos por «vandalizarlos», es decir, pintarrajearlos tratando de seguir las líneas originales pero con trazos más burdos, logrando un acabado que encajara con los personajes. Rafael se documentó bastante y fue muy preciso en cuanto al color, luz y texturas, dotando de personalidad cada escena.

Por su parte, el diseñador de personajes, Jorge Carrera, se dio a la tarea de crear más de trescientos diseños evocando con fidelidad el estilo de los autores. Para esto tuvo que tomar en cuenta el potencial de algunos personajes para ser animados, así como los posibles problemas técnicos para el diseño de otros.

Storyboard

Es aquí cuando la historia comienza a contarse de manera gráfica. El director platica con los artistas y ellos le presentan apuntes dibujados de las composiciones que luego veremos en pantalla. El *storyboard* es una especie de historieta, de esqueleto sobre el cual se irá construyendo cada uno de los siguientes procesos. Esta etapa nos permite hacernos una idea de cómo funcionan las escenas antes de liberarlas para su producción.

Layout

Cuando el *storyboard* es aprobado, el departamento de arte genera los dibujos en blanco y negro de cada espacio, a partir de los ángulos que saldrán en pantalla.

El *layout* puede entenderse como un *storyboard,* pero más específico: si este describe que un personaje entra por la derecha, se sienta y toma una taza de la mesa, el *layout* especifica cuántos pasos debe dar ese personaje, cuál es la altura de la silla, hacia dónde está orientada y la distancia a la que se encontrará la taza del borde de la mesa.

Los animadores necesitan estas guías para estar seguros de que la perspectiva y las distancias que ellos dibujen, coincidan con los dibujos finales de fondos.

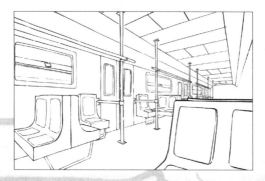

Animatic

El *animatic* conjunta todo lo realizado hasta ahora. Los cuadros de *storyboard* y *layout* se ponen uno tras otro en una línea de tiempo, agregando los diálogos de los actores, efectos de sonido preliminares, movimientos de cámara y alguna línea musical que exprese las ideas sonoras del director. Por primera vez y de manera más o menos económica, podemos correr la película y asegurarnos de que las escenas finales serán comprendidas, divertidas y convincentes.

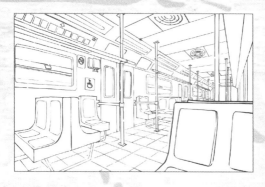

Modelado 3D

Hay escenas en las que los movimientos de cámara son demasiado elaborados para ser expresados con un solo dibujo, o donde la complejidad de ciertos elementos —como un vehículo— hace necesario el uso de diseños tridimensionales. Para el director de arte y su equipo esto representó un reto ya que debieron lograr modelos «volumétricos» que conservaran la esencia netamente gráfica del resto de la película.

Layout de animación

Para este momento el director de animación marca ciertos parámetros: hasta dónde quiere llegar con los personajes en cada escena; qué tan sutil o qué tan exagerada será una reacción; y la continuidad que tendrán las acciones de un corte a otro. Comenzamos entonces a definir cómo expresar de manera visual la propuesta que cada actor creó con su voz y, en el caso de no tener diálogos, planeamos cómo transmitir las emociones a partir del ritmo, la expresión facial y la actitud corporal del personaje.

Layout 3D

Para el *layout 3D* los animadores necesitan trabajar con la referencia de los modelos tridimensionales antes mencionados y con los dibujos de los fondos en blanco y negro para lograr escenas no muy complicadas.

Animación en rough

Para la realización de El Santos, dividimos nuestra planta de animadores en dos grandes grupos: los «lead animators» y los «intercaladores».

Los primeros diseñan el movimiento de los personajes a partir de ciertas poses-clave que dejan ya de manera muy clara cómo actuarán estos en la animación. Entonces, los intercaladores generan varios dibujos intermedios que dotarán de fluidez la animación.

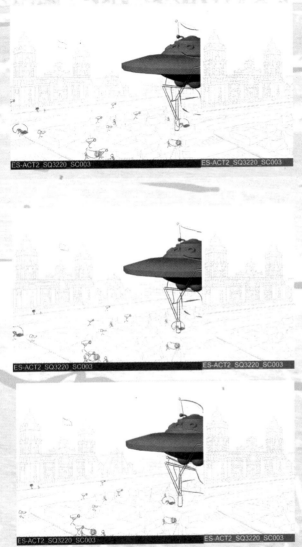

Diseño de iluminación

El director de arte define cómo se verán alterados los colores originales de cada personaje gracias a la iluminación de los ambientes diseñados, especificando a su equipo la dureza e intensidad de las sombras.

Fondos a color

A partir de los *layouts*, los artistas añaden varios toques finales a los fondos. Es en este momento cuando se aplica textura a los muros y muebles, se ambienta la escena y se definen las zonas de sombra y luz de cada espacio.

Render 3D

El *render* es el proceso que la computadora sigue para generar las imágenes finales a partir de los modelos creados. Para el departamento de 3D fue un verdadero reto diseñar texturas que se integraran de forma convincente al resto de la película sin que el uso de las figuras tridimensionales se volviera evidente.

Animación a color

A partir de las notas de la dirección de arte es que se aplica el color a los personajes, dotándolos de volumen gracias al uso de distintas tonalidades. El Santos es la primera película de Ánima Estudios en la que, al igual que la animación, el color fue aplicado cuadro a cuadro y no de manera automatizada. Notarán que a veces los colores rebasan las líneas que los contienen y que hay casos en los que aparecen huecos y plastas que se traslapan. Estas fueron decisiones conscientes con las que pretendimos emular la sensación acuarelada y acercarnos a la intención de los autores en las tiras originales.

Composición digital

No sólo nos encargamos de generar todos los efectos especiales que no podían ser animados: refracciones de luz, elementos fuera de foco y todas aquellas propiedades ópticas con las que cuenta una cámara real; fue también cuando unimos todos los elementos trabajados, como la animación, color, 3D, fondos y cámaras.

LA TORTURA DEL MELODRAMA

LA ÑAPA INÉDITA

TAMBIÉN PERCIBO UNA COMO ESENCIA DE CHABACANO CON CLORALEX

Y UN ACENTO MUY AL FONDO DE HUEVITO RANCHERO

¡AY, PERRA! ¿TE REVOLCASTE CON EL SANTOS?

¡NOMÁS LE AGARRÉ SUS GUAYABITAS, HOMBRE!

UN MOMENTO: ¡¿POR QUÉ CONOCES EL OLOR DE LOS HUEVOS DEL SANTOS?!

EH.. TODO MUNDO LOS CONOCE, ¡EJEM-COF-COF!

SANTOS, ¡POR TUS HUEVOS!

"AROMA RANCHERO TIERNO DE GUAYABA Y CHABACANO"

FIN

EPÍLOGO...

¿QUÉ REPARTEN?

MUESTRAS GRATIS DE LA COLONIA FOR MEN DEL SANTOS

NEXT!

SNIF SNIF

TRINO·JPS

107

Sospecho que el arte de Jis y Trino aún espera catalogación, que si hasta ahora cabe en la familia de la historieta, es por salir del aprieto con un cómodo formulismo. El Santos y su cohorte de esperpentos viven en el subsuelo de los monitos, pero más parecen ejemplos de una anómala antropología, pioneros de una gimnástica mental, proliferante en la realidad mexicana, que Jis y Trino detectan con eficacia y a la que aportan un adecuado costumbrismo.

Fabricado de prolijo caos, de fresca vulgaridad, de tenacidad expresiva, la canallez y la irreverencia del universo Santos logran un inventario cabal del «desmadre», esa última ratio de nuestra idiosincrasia, esa mezcla de tara y de tarea, de accidente y empeño, en la que los mexicanos solemos hospedar (y aumentar) nuestro desconcierto. Jis y Trino desbordan ese objetivo, al que tantos poetas y filósofos se han acercado, y lo sublevan por la puerta trasera del humor. Su trabajo es esencial desmadre, pero a la vez crítica del desmadre. Un desmadre despojado de cualquier óptica reivindicativa que se ejerce desde una imaginación frenética, con una inaudita vulgaridad que ostenta las garantías del género: la incorrección política, una moralidad de bravata, el desdén a la pedagogía, el gusto de romper límites, la impunidad del capricho, operan dentro de una libertad sin cotas, mezcla de horror pueril, ingenio callejero, celebración de la sobrevivencia, empeñosa cerdez. El resultado es una rara contrahechura, pero también la radiografía de esa condición definitoria —causa y efecto; objeto y praxis—, que para abreviar llamamos «el relajo»: zona de conductas e impulsos inabarcables e impredecibles, abundante en modos de ser, de sentir, de actuar que —gracias al benemérito Santos— podemos entender, temer y celebrar mejor.

Guillermo Sheridan

«Esto ha sido un sueño increíble. Ojalá vaya gente y ría mucho y aprenda cosas de la vida. Ojalá salga algo de billete. Ojalá la crítica sea benévola. Ojalá haya secuela. Ojalá nos den después a Trino y a mí la posibilidad de tener nuestro propio Talk Show. En fin... Sabrá Dios pero aquí estamos y estaremos con la frente en alto, la mirada clara y los huevos arrugados. Salud.»

Trino

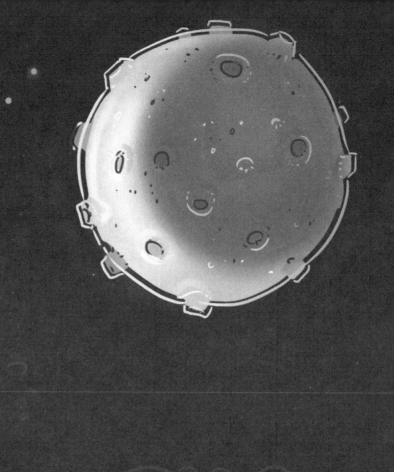